Vrouwke Klapwijk

# bas en d
# bosbrand



*met illustraties van*
Irene Goede



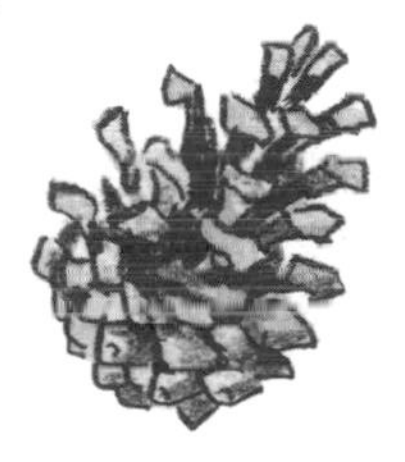

Callenbach

Wil je meer weten over Vrouwke Klapwijk en de boeken die ze geschreven heeft, kijk dan op *www.vrouwkeklapwijk.nl*
Meer informatie over het werk van Irene Goede vind je op *www.irenegoede.nl*

Tweede druk, 2008


Postbus 5018, 8260 GA Kampen
*www.kok.nl*

illustraties en vormgeving: Irene Goede BNO
ISBN 978 90 266 1374 6
NUR 282/287
AVI 2

# Inhoud


1. ga je mee? *7*
2. geen fiets *9*
3. ik slaap bij anniek *11*
4. het is warm *14*
5. een groot glas vol *16*
6. een rondje door het bos *18*
7. anniek fietst door *20*
8. een tent in de tuin *22*
9. bink houdt de wacht *25*
10. wat wil bink? *27*
11. naar de hut *30*
12. zie je wat? *32*
13. vuur in het bos *34*
14. bink past op anniek *37*
15. bas haalt hulp *39*
16. help! *41*
17. kom gauw! *43*
18. ik was zo bang... *45*
19. weer thuis *47*

## 1. ga je mee?

pfff!
wat is het warm in de klas!
bas leunt met zijn hoofd op zijn hand.
hij heeft geen zin meer.
zijn haar voelt nat.
en zijn bloes plakt op zijn rug.
waarom moet hij naar school?
het is weer voor het strand.
of het zwembad.

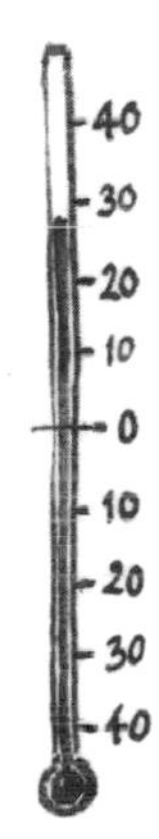


'pssttt!'
bas hoort wat.
hij kijkt om.
het is anniek.
ze maakt een gebaar.
bas fronst zijn voorhoofd.
wat bedoelt ze?
hij snapt het niet.
bas kijkt naar haar mond.
die beweegt.
anniek zegt iets.
'ga... je...'
bas begrijpt het niet.

anniek beweegt haar mond nog een keer.
'ga... je... mee?'
dan wijst ze op zichzelf.
het gezicht van bas klaart op.
nu snapt hij het!
bas knikt.
hij steekt zijn duim op.
bij anniek is het leuk.

## 2. geen fiets

de moeder van anniek staat bij school.
ze haalt anniek altijd op.
anniek woont ver bij school vandaan.
aan de rand van een groot bos.
haar vader werkt in het bos.
hij zorgt dat het daar mooi blijft.
anniek heeft een hond.
hij heet bink!
bink is nog jong en heel slim.
hij heeft een wit en een zwart oor.
dat staat leuk.
als anniek uit school komt,
staat bink bij het hek.
dan springt hij om anniek heen.
hij is blij,
dat ze weer thuis is.

'mam, mag bas mee?' roept anniek.
'ja, leuk!' zegt de moeder van anniek.
'heb je een fiets bij je, bas?'
'nee,' zegt bas.
'ik mag niet op de fiets.
ik woon te dicht bij school.'

de moeder van anniek lacht.
'wat een pech!
dan gaan we eerst bij jou langs.
klim maar op mijn fiets.
weet je wat?
morgen is er geen school.
wil je soms bij ons slapen?'

bas kijkt naar anniek.
'doen?' vraagt hij.
'top!' roept anniek.
'daar heb ik zin in.'
'en ik ook!' zegt bas.

## 3. ik slaap bij anniek

mama is thuis.
ze zit in de tuin.
onder een boom.
daar is het koel.
loes zit in een badje naast haar.
ze schept water in een bak.
anniek hurkt bij loes neer.
'dag loesje,' zegt ze.
ze is dol op het zusje van bas.
anniek spet wat water naar loes.
het spat op haar gezicht.
loes lacht.
ze vindt het leuk in bad.

bas rent naar mama.
hij springt bijna op haar schoot.
mama schrikt.
'help!
wat is er?
straks lig ik op de grond.'
bas slaat zijn arm om mama heen.
'mag ik met anniek mee?'
mama lacht.
'nu snap ik het.
daarom doe je zo lief.
vooruit maar.
papa haalt je om zes uur wel op.'
'dat hoeft niet,' zegt bas.
'niet?' vraagt mama.
bas schudt zijn hoofd.
'ik slaap bij anniek.
dat mag van haar moeder.
mag het ook van u?'
'slaap je dan wel?
of klets je?' zegt mama.
'ik vind het goed.
maak maar vlug je tas klaar.'

bas rent het huis in.
hij is snel klaar.
dan pakt hij zijn fiets.

‘vergeet je niets?’ vraagt mama.
ze geeft een kus in de lucht.
bas krijgt een kleur.
waarom vraagt mama dat nou?
‘ik plaag je,’ zegt mama.
‘ga maar gauw.
veel plezier.’

## 4. het is warm

'waf! waf!'
bas hoort het al van ver.
dat is bink.
hij wacht bij het hek.
bink mag de weg niet op.
dat weet hij heel goed.

anniek rijdt het pad naar hun huis op.
bink springt om haar heen.
'stop, bink!' lacht anniek.
'wat doe je raar.
ik ben er nu toch.
ga eens aan de kant.
zo kan ik niet van mijn fiets af.'
bas kijkt van bink naar anniek.
een hond lijkt hem leuk.
vooral een hond als bink.
'zet je fiets maar in de schuur,'
roept de moeder van anniek.
'ik neem de ijsthee mee naar de tuin.
daar is het niet zo warm.'

bas ploft op een stoel neer.

het is echt heet.
in de tuin valt het mee.
daar voel je af en toe wat wind.
bink heeft er ook last van.
hij ligt op het gras.
zijn tong hangt uit zijn bek.
naast de stoel van bas ligt een bal.
bas gooit hem naar bink.
'vang, bink!'
maar bink doet niets.
hij kijkt de bal na.
'bink heeft geen zin,' zegt anniek.
'hij heeft het warm.'
ze legt haar hoofd op zijn kop.
'je bent lief, hoor,'
zegt ze zacht in zijn oor.
'heel lief,
maar soms een beetje raar.'

## 5. een groot glas vol

'ting, ting!'
er komt een man het pad op.
'hoi, pap,' zegt anniek.
papa zet zijn fiets tegen de muur.
dan loopt hij de tuin in.
'poe, poe!' zucht hij.
'wat een weer!'
hij veegt met een zakdoek langs zijn gezicht.
'is er nog fris?'
'ik haal het wel,' zegt anniek.
ze loopt het huis in.

papa kijkt bezorgd.
'het is zo droog in het bos.
ik hoop dat er niets gebeurt.
één vonkje is al genoeg,' zegt hij.
'ik moet er niet aan denken.'
anniek komt de tuin weer in.
ze draagt een glas ijsthee.
'hier, pap,' zegt ze.
'is dit groot genoeg?'
anniek zet het glas voor papa neer.
hij kijkt naar het glas.

‘wat een glas vol,’ lacht hij.
‘kan ik dat wel op?’
‘tuurlijk,’ zegt anniek.
‘als het warm is,
moet je veel drinken.
dat zegt mama ook.’
‘je hebt gelijk,’ zegt papa.
hij pakt het glas op.
dan drinkt hij het in één keer leeg.
‘ziet u wel!’ roept anniek.
‘u kunt het.
wilt u nog een glas?’
papa schudt zijn hoofd.
‘nee, dank je wel.
het was heerlijk.’
hij kijkt naar de lucht.
die is strakblauw.
er is geen wolkje te zien.
‘het bos heeft ook zin in fris,’ zegt hij.
‘in een fris buitje.
maar dat kan ik niet geven.’

## 6. een rondje door het bos

de vader van anniek staat op.
'ik ga weer,' zegt hij.
'ik maak nog een rondje door het bos.'
hij pakt zijn fiets.
anniek kijkt snel naar bas.
'mogen wij mee?' vraagt ze.
'ja, hoor,' zegt papa.
'drie zien meer dan één.
pak maar vlug je fiets.'

papa fietst voorop.
daarna komt bas.
en dan anniek.
papa kijkt goed om zich heen.
bas doet het ook.
stel je voor... denkt hij.
stel je voor dat ik vuur ontdek.
opeens staat de vader van anniek stil.
hij stapt af
en houdt zijn hoofd een beetje schuin.
hij snuift.
hij snuift nog keer.
dan schudt hij zijn hoofd.

‘nee,’ zegt hij.
‘toch niet.
ik dacht het...’
‘wat dacht u?’ vraagt bas.
‘ik dacht dat ik wat rook.
een brandlucht.
maar het is niet zo.’
bas snuift ook een keer diep.
‘ik ruik niets,’ zegt hij.
‘ik ook niet,’ zegt anniek.

de vader van anniek stapt weer op zijn fiets.
hij rijdt verder.
bas stapt ook op.
maar het lukt niet zo goed.
op het pad ligt mul zand.
zijn wiel glijdt steeds weg.
‘kom op, bas!’ lacht anniek.
‘fiets eens door.’

## 7. anniek fietst door

'hou je mond,' zegt bas.
zijn stem klinkt een beetje boos.
hij weet het wel.
hij is niet zo snel.
vooral niet met zijn fiets.
anniek fietst hier vaak.
zij is het zand gewend.

'toe dan,' lacht anniek weer.
'wacht, ik duw je.'
anniek geeft de fiets van bas een zetje.
'blijf af!' zegt bas.
anniek kijkt hem verbaasd aan.
'nou, moe.
wat doe je raar.
ik wil je helpen.'
bas trekt zijn fiets uit het zand.
'ik kan het zelf,' zegt hij.
'ook goed.
jij je zin,' zegt anniek.
'ik fiets door.
papa is al heel ver vooruit.'
anniek stapt op haar fiets.

dan rijdt ze langs bas.
hij kijkt haar na.
zij glijdt niet uit in het zand.

bas bijt op zijn lip.
bah!
waarom was hij opeens zo boos?
anniek heeft gelijk.
ze wil hem helpen.
maar dat wil hij niet.
hij kan het zelf.
nou ja,
niet altijd...
'bas, kom je?'
de vader van anniek roept.
hij wijst met zijn arm.
'we gaan dat pad in.'

## 8. een tent in de tuin

ze zijn weer thuis.
er was niets te zien in het bos.
geen rook en geen vuur.
bas zet zijn fiets in de schuur.
naast de fiets van anniek.
anniek kijkt hem aan.
'ben je nog boos?' vraagt ze.
'nee...' zegt bas.
'sorry...'
'is goed,' zegt anniek.

anniek loopt de schuur uit.
naast het huis is een groot grasveld.
anniek kijkt naar het veld.
ze knijpt haar ogen een beetje dicht.
'ik weet wat!' roept ze.
'we gaan vannacht in de tent.
het is veel te warm in bed.
kom, ik vraag het aan mama.'
mama vindt het goed.
'pak de tent maar vast,' zegt ze.
'hij ligt in de schuur.
ik kom zo.'

anniek pakt de tent.
hij zit in een zak.
de zak is zwaar.
anniek sleept de zak door het gras.
'waar moet de tent?' vraagt ze aan bas.
bas kijkt om zich heen.
'daar!'
hij wijst naar een paar bomen.
'dat is een leuk plekje!'
anniek trekt het touw van de zak los.
ze schudt de tent uit de zak.

dan is mama er ook.
na een halfuur staat de tent rechtop.
bas kruipt in de tent.
het dak loopt rond.
'wat groot!' zegt hij.
'het wordt vast heel gaaf!'

## 9. bink houdt de wacht

het is bijna nacht.
de zon is weg.
bas ligt in de tent.
hij kijkt omhoog.
af en toe beweegt er wat.
dat ziet hij door het dak.
dicht bij de tent brandt een lamp.
het is de lamp van de schuur.
bas kijkt opzij.
anniek slaapt al.
haar slaapzak gaat op en neer.

bas draait zich om.
opeens hoort hij iets.
het is net of er wat verschuift.
bas tilt zijn hoofd op.
wie maakt dat geluid?
o, ja!
het komt vast van bink.
hij ligt voor de tent.
in zijn mand.
dat mocht.
het is net of bink de wacht houdt.

‘waf!
waf, waf!’
bink blaft.
‘hou op, bink.
er is niets.
ga in je mand!’
dat is anniek.
ze praat een beetje gek.
met een slaapstem.
bas lacht in zichzelf.
die anniek!

bas heeft het warm.
hij ritst zijn slaapzak los.
dan legt hij het dek opzij.
zo, dat voelt goed.
‘waf! waf!’
bas fronst zijn voorhoofd.
dat is bink weer.
zou er toch wat aan de hand zijn?

## 10. wat wil bink?

zou hij iets zien?
een haas of een vos?
bas kruipt uit zijn slaapzak.
hij maakt de rits van de tent los.
bas kijkt door een kier.
bink ligt niet in zijn mand.
hij loopt voor de tent heen en weer.

'sssst!' zegt bas zacht.
'ga in je mand.
anniek slaapt.
wat doe je toch?'

bink schudt met zijn kop.
zijn staart gaat wild heen en weer.
bas lacht.
'nu heb je wel zin.
maar na schooltijd niet.
anniek heeft gelijk.
je bent een raar beest.
nee, bink.
ik speel niet met je.'
bas kruipt weer in de tent.
hij trekt de rits snel dicht.
anniek slaapt nog steeds.
ze hoort niets.

'waf! waf!'
bas bromt.
daar begint bink weer.
zal hij uit de tent gaan?
een klein poosje...
dan houdt bink vast op.
bas maakt de rits weer los.
hij kruipt de tent uit.

het gras voelt een beetje koud.
'vooruit maar,' zegt hij zacht.
'één keer.
waar is je bal?'
bas kijkt rond.
de lamp verlicht het grasveld.
de bal van bink ligt naast de mand.
bas pakt de bal.
hij gooit hem met een zwaai weg.
bink rent naar de bal.
hij hapt erin
en brengt hem bij bas.

'zo, in je mand,' zegt bas.
hij legt zijn hand op de kop van bink.
'slaap ze.'

## 11. naar de hut

het is nog vroeg.
de vader van anniek is al wakker.
'ik ga weer,' zegt hij.
'ik vertrouw het niet.
er staat meer wind.
als er nu brand uitbreekt...'
hij zwaait naar anniek en bas.
'tot straks!' roept hij.
anniek kijkt haar vader na.
'kom,' zegt ze opeens.
'we gaan naar de hut.
ik heb een plan.
neem jij bink mee.'

anniek heeft een hut.
in een boom.
aan de rand van het bos.

ze heeft de hut zelf gemaakt.
met oud hout van papa.
anniek rent.
bas holt met haar mee.
met bink aan de lijn.
'wat wil je?' hijgt hij.
'waarom loop je zo hard?
is er brand?'
'nee, joh,' zegt anniek.
'wij gaan kijken of er brand is.
bij een brand is vuur.
vuur geeft rook.
en rook stijgt op.'
bas knikt.
dat weet hij ook wel.
'maar papa fietst door het bos.
misschien ziet hij de rook niet.
in mijn hut kan dat wel.
daar sta je hoog.
daar kun je veel meer zien.'

nu snapt bas het.
'je wilt brandwacht zijn,' zegt hij.

## 12. zie je wat?

'bink blijft hier,' zegt anniek.
'hij mag niet in de hut.'
ze pakt de lijn van bink
en bindt hem vast aan een boom.

'ik eerst,' zegt anniek.
ze staat bij de hut.
anniek pakt het touw van de trap vast.
ze klimt vlug omhoog.
dan gaat bas.
tree voor tree.
het touw zwaait heen en weer.
anniek steekt haar hand uit.
ze trekt bas in de hut.
bas schaamt zich een beetje.
waarom kan hij niet zo snel?
met gym doet anniek het ook zo goed.
ze klimt zomaar langs een touw omhoog.
ze springt op een kast.
en ze doet de koprol wel vijf keer!

bas duwt een tak opzij.
hij tuurt het bos in.

anniek gaat naast hem staan.
'zie je al wat?' vraagt bas na een poosje.
de zon schijnt in zijn gezicht.
dat prikt.
en het kijkt niet fijn.
'nee,' zegt anniek.
'hoe lang staan we hier al?' vraagt bas.
'nog maar net,' zegt anniek.
bas zucht.
het leek zo'n goed plan.
maar het is heel saai.
bas gaat op een ander plekje staan.
hij kijkt omlaag.
bink ligt op het mos.
zijn tong hangt uit zijn bek.

'bas, bas!' roept anniek opeens.
ze trekt bas aan zijn arm.
ze wijst vooruit.
'zie je dat ook?
is dat... is dat rook?'
bas tuurt.
hij ziet niets.
'nee, ik denk het niet.'

## 13. vuur in het bos

'o,' zegt anniek.
'ik dacht het.'
voor de hut ligt een wei.
aan de rand van de wei begint het bos.
daar heeft hij eens een ree gezien.
bas kijkt naar de bosrand.
opeens houdt hij zijn adem in.
ziet hij het goed?
het is nog laag bij de grond.
het lijkt wel...
'vuur!' roept hij.
'anniek, ik zie vuur!'

in een wip staat anniek naast hem.
'ja,' zegt ze zacht.
'daar... daar is brand!
kom mee!
naar huis!'
anniek roetsjt de ladder af.
voordat ze op de grond is,
laat ze al los.
ze pakt de riem van bink
en rent het bos in.

‘wacht!’ roept bas.
‘niet zo snel.’
anniek luistert niet.
ze rent dwars door het bos.
het bos is ineens vol geluid.
‘anniek,’ hijgt bas.
‘stop nou.
ik hou je niet bij.’

maar dan...
anniek stapt mis.
haar voet zwikt opzij.
‘au!’ gilt ze.
ze grijpt naar haar been
en zakt op de grond.
bas schrikt.
hij valt naast anniek neer.
‘wat is er?’
‘mijn voet,’ huilt anniek.
‘mijn voet doet pijn!’

## 14. bink past op anniek

bas kijkt anniek aan.
haar gezicht is wit.
je kunt zien dat ze pijn heeft.
bas kijkt om.
hij kan het vuur niet zien.
maar er stijgt wel meer rook op.
'kun je staan?' vraagt bas.
hij trekt anniek omhoog.
anniek zet haar voet neer.
dan steunt ze erop.
'au, nee!
het lukt niet.'
anniek zakt weer op de grond.
ze kruipt in elkaar.
'het doet zo'n pijn,' huilt ze.
bas denkt na.
anniek moet hier weg.
voor het te laat is...

'ik haal hulp,' zegt hij.
'jij blijft hier.
met bink.'
'goed,' snikt anniek.

'weet je de weg?'
bas knikt.
'ik ga eerst naar de hut.
daarna weet ik het wel.'
bas pakt bink bij zijn kop.
'bink, luister,' zegt hij.
'jij past op anniek.
jij houdt de wacht.
weet je nog?
net als vannacht.
als je iets hoort,
blaf je heel hard.
zo hard je kunt.
snap je dat?'
'waf!' zegt bink.
zijn staart gaat heen en weer.
het is net of hij bas begrijpt.

## 15. bas haalt hulp

‘het komt goed.
ik haal je vader.
en je moeder,’ zegt bas.
anniek knikt.
ze slaat haar armen om bink heen.
bas kijkt weer om.
heeft hij nog genoeg tijd?
hij heeft het gezegd.
maar kan hij het ook?
is hij snel genoeg?
daar denkt hij nu niet aan.
er is maar één ding dat telt.
dat is anniek.

bas rent het bos in.
waar is de hut?
als hij die maar vindt.
dan weet hij het wel weer.
bas ruikt de brand nu goed.
het stinkt.
naar verbrand hout.
bas staat stil.
hij hijgt.

waar moet hij heen?
de hut is vlak bij de brand.
die kant moet hij op.
bas rent weer verder.
het gaat niet zo vlug.
soms staat er een struik.
soms ligt er een boom op de grond.
zal hij op tijd zijn?

opeens wordt het lichter.
bas kan de zon weer zien.
hij kijkt snel om zich heen.
waar is de hut?
hij moet er nu dichtbij zijn.
bas duwt een struik opzij.
vlak voor zich ziet hij een bospad.
is dit het pad bij de hut?

## 16. help!

bas kijkt links.
en rechts.
en opeens...
ja, daar ziet hij de hut!
dit is het goede pad.
dit pad loopt ook langs het huis van anniek.
nu weet hij het weer.
bas rent harder.
hij wil nog harder.
maar hij kan haast niet meer.

in de verte rijdt een fietser.
'help!' roept bas.
zo hard als hij kan.
'help!'
de man op de fiets draait zich om.
het is de vader van anniek.
hij stopt
en springt van zijn fiets.
'bas!' roept hij verschrikt.
'wat is er?
waar is anniek?'
'in... in... in het bos,' hijgt bas.

'bij de brand.'
'BIJ DE BRAND?'
bas knikt.
'aan de rand van de wei.
vlak... vlak bij de hut.'
'en anniek?'
de vader van anniek kijkt bezorgd.
'waarom is anniek nog in het bos?'
'ze viel in een kuil,' vertelt bas.
'nu doet haar voet pijn.
ze kan er niet op staan.
maar bink is bij haar.'

de vader van anniek pakt iets uit zijn zak.
het is een mobiel.
hij toetst snel wat in.
'ja, met hans,' hoort bas.
'er is brand in het bos.
aan het eind van de bosweg.
in de buurt van de wei.
geef het door aan de brandweer.'

## 17. kom gauw!

‘luister,’ zegt de vader van anniek.
‘jij gaat naar mijn huis.
vertel wat er gebeurd is.
de moeder van anniek moet snel komen.
ik ga naar anniek.
waar is ze?’
bas legt het uit.
de vader van anniek knikt.
hij pakt zijn fiets en sjeest weg.
bas kijkt hem na.
dan draait hij zich om.
hij moet nu gaan.
snel!
bas rent weer verder.

de moeder van anniek zit in de tuin.
‘kom gauw!’ roept bas.
‘er is brand.
en anniek is nog in het bos…’
de moeder van anniek schrikt.
haar gezicht wordt wit.
‘wat?
anniek?

brand in het bos?'
'ja,' zegt bas.
'vlak bij de hut.
maar anniek viel.
ze kan niet meer op haar voet staan.
ik heb de vader van anniek gezien.
hij is er al heen.'
moeder springt op.
ze rent naar de schuur
en pakt haar fiets.
'snel!' roept ze.
'spring op de fiets.'

## 18. ik was zo bang...

de moeder van anniek fietst hard.
bas houdt zich goed vast.
'stop!' roept bas opeens.
'ik zie wat.'
de moeder van anniek stopt gelijk.
bas springt van de fiets.
hij holt het bos in.
een eind voor hem uit loopt een man.
hij draagt iets.
het is de vader van anniek.
bink springt om hen heen.
'anniek!
... meisje!' roept mama.
ze pakt haar stevig vast.
'wat is er gebeurd?'
'mama!'
ineens snikt anniek het uit.
bas voelt een prop in zijn keel.
hij slikt.

'mam,
ik was zo... zo bang.
ik zag steeds meer rook.

en er kwam niemand voorbij.'
anniek huilt nog steeds.
'stil maar,' zegt mama zacht.
'het is goed.
we gaan naar huis.'
mama draagt anniek vlug het bos uit.
ze zet haar op de fiets.
dan gaan ze naar huis.
bas loopt ernaast.
met bink.

de vader van anniek is al weg.
hij is naar de brand.
hoe zou het daar zijn? denkt bas.
het vuur was nog niet zo groot.
maar het is wel erg droog...
'ik ben zo blij,' hoort bas opeens.
'bas, jij hebt anniek gered.
je bent een held!'

## 19. weer thuis

anniek is weer thuis.
ze zit op een stoel in de tuin.
haar voet ligt op een bankje.
er zit verband om.
bink zit naast haar.
het is net of hij nog de wacht houdt.

de brandweer is weer weg.
het vuur is uit.
er is maar een klein stuk bos verbrand.
'dankzij bas en anniek,' zegt papa.
'ik ben heel blij.
het bos is gered.
en kijk eens naar de lucht.'
bas kijkt omhoog.
hij ziet wolken.
de wolken zijn donker.
'daar komt een beste bui aan,' lacht papa.

anniek aait de kop van bink.
'je bent lief,' zegt ze.
'zonder jou...'
'nee, zonder bas...' zegt papa.

‘ik moet er niet aan denken.
bas, ik ben trots op je.
wat heb jij hard gerend.
jij bent vast heel snel.’
anniek kijkt bas aan.
ze lacht.
‘ja,’ zegt ze.
‘bas is heel snel.
hij wint altijd!’